Ann M. Martin

AMIGAS Y CÍA

¿Qué le pasa a Ingrid?

Una novela gráfica de

RAINA TELGEMEIER

MOLINO

Emma Thomas
Presidenta

Claudia Kishi
Vicepresidenta

Lucy Spier
Secretaria

Ingrid McGill
Tesorera

2

PERO, SI SIGUES UNA DIETA SALUDABLE Y TE INYECTAS INSULINA TODOS LOS DÍAS...

¿¿QUÉ?!

ASÍ QUE LO SIGUIENTE FUE APRENDER A PONERME LAS INYECCIONES YO SOLA. Y LA VERDAD ES QUE COMENCÉ A SENTIRME MEJOR ENSEGUIDA.

DOCTOR, ¿ESTÁ SEGURO DE QUE PODRÁ HACERLO ELLA SOLA?

¡MAMÁ!

DE LA NOCHE A LA MAÑANA, MAMÁ Y PAPÁ SE CONVIRTIERON EN LOS PADRES MÁS PROTECTORES DEL PLANETA.

CARIÑO, SIGUES PERDIENDO PESO.

¿ESTARÁS COMIENDO SUFICIENTE? NO SÉ SI ESTA NUEVA DIETA ME ACABA DE CONVENCER.

DIETAS DIABETES
CARBÓN AZÚCAR

HE PEDIDO HORA CON OTRO MÉDICO PARA EL MARTES, SÓLO ES PARA VER SI...

¡MAMÁAAA!

PERO ESO NO FUE LO PEOR.

¡HOLA, LAINE! ¡QUÉ GANAS TENÍA DE VERTE! ¿QUÉ TAL EL COLEGIO ESTOS DÍAS? TENÍA MIEDO DE QUE...

ESTO... TENGO QUE IRME, INGRID... NOS VEMOS.

14

LA CENA DE INGRID

LOMO DE CERDO GLASEADO CON MANZANA
CALORÍAS: 194
CARBOHIDRATOS: 4,8 G
ALTERNATIVA:
¼ DE PAN/FÉCULA,
1 PORCIÓN DE CARNE

ZANAHORIAS AL VAPOR
(¡PUAJ!)
CALORÍAS: 31
CARBOHIDRATOS: 3 G
ALTERNATIVA:
1 PORCIÓN DE VERDURA

ENSALADA DE LECHUGA ROMANA
ALIÑO ITALIANO BAJO EN CALORÍAS
CALORÍAS: 39
CARBOHIDRATOS: 2,8 G
ALTERNATIVA: 1 PORCIÓN DE VERDURA

Capítulo 3

ESA MISMA NOCHE...

¿TE ENCUENTRAS BIEN, INGRID? CASI NO HAS PROBADO LA CENA.

NO TENGO HAMBRE, MAMÁ.

¿HAS COMPROBADO TU NIVEL DE AZÚCAR?

ANTES DE LA CENA ESTABA A 105, ¿VALE?

¿QUÉ CREES, QUE **QUIERO** PONERME ENFERMA?

NO, CARIÑO, LO SIENTO... ES SÓLO QUE...

ESTE MES HAS PERDIDO MÁS DE UN KILO Y... ¿ESTÁS **SEGURA** DE QUE TE ENCUENTRAS BIEN?

SÍ. QUIZÁS ES QUE ESTOY MÁS ACTIVA AHORA QUE HE HECHO NUEVAS AMIGAS... Y NECESITO COMER **MÁS**.

PERO ACABAS DE DECIR QUE NO TIENES HAMBRE. LLAMARÉ AL MÉDICO EL LUNES.

SÓLO POR SI ACASO.

EMMA CONVOCÓ UNA REUNIÓN DE EMERGENCIA EN LA HABITACIÓN DE CLAUDIA A LA MAÑANA SIGUIENTE.

BUENO. HE HECHO UNA LISTA CON LAS COSAS QUE DEBEMOS HACER PARA MEJORAR NUESTRO TRABAJO Y CAUSAR LA MEJOR IMPRESIÓN A NUESTROS CLIENTES.

NÚMERO UNO...

HAREMOS TAREAS DE LA CASA POR DEL MISMO PRECIO.

¡UNA IDEA BRILLANTE!

NÚMERO DOS: HAREMOS UN PRECIO ESPECIAL A NUESTROS MEJORES CLIENTES.

TIENE SENTIDO.

NÚMERO TRES: CADA UNA TENDRÁ QUE PREPARAR UNA CAJA SORPRESA PARA LOS NIÑOS QUE VAYAMOS A CUIDAR.

¿A QUÉ TE REFIERES CON UNA CAJA SORPRESA?

ES OTRA IDEA QUE SE ME HA OCURRIDO. ¿VERDAD QUE A TI TE ENCANTA IR A CASA DE TUS AMIGAS PORQUE SIEMPRE CREES QUE SUS **COSAS** SON MEJORES QUE LAS TUYAS?

MEJOR COMIDA, MEJORES COSAS PARA HACER... Y CUANDO ERAS PEQUEÑA... ¿VERDAD QUE LOS **JUGUETES** DE TUS AMIGAS ERAN SIEMPRE MEJORES QUE LOS TUYOS?

23

A MÍ ME GUSTABA IR A CASA DE EMMA PORQUE ERAN UN MONTÓN DE HERMANOS Y TENÍAN UN PERRO.

Y EN CASA DE CLAUDIA SIEMPRE HABÍA UN MONTÓN DE JUEGOS DE MESA.

LO QUE REALMENTE NOS GUSTA ES EL CAMBIO DE AIRES, LAS COSAS NUEVAS O DIFERENTES. POR ESO CADA VEZ QUE CUIDEMOS A UN NIÑO LE LLEVAREMOS ALGO NUESTRO...

ALGO PARA JUGAR JUNTOS CUANDO ESTEMOS CON ELLOS. LOS NIÑOS **QUERRÁN** QUE VAYAMOS NOSOTRAS PORQUE NOS VERÁN COMO A UNA CAJA DE SORPRESAS.

10 de noviembre
Mañana iré a cuidar a Charlotte Johanssen.
Me encanta quedarme con ella,
es una de mis niñas preferidas.
Su madre, la doctora Johanssen,
trabaja en el centro médico de Stoneybrook
y me gusta mucho hablar con ella.
Siempre me pregunta cómo estoy y cómo
va mi tratamiento.
Hoy no ha sucedido nada fuera
de lo habitual, aunque al final de la tarde...

Ingrid

35

Domingo 23 de noviembre

Sólo hace una semana que Liz Lewis y Michelle
Patterson repartieron los folletos anunciando
su agencia. Habitualmente, nuestro club consigue
entre catorce y quince trabajos a la semana.
Desde el pasado lunes, sólo hemos tenido SIETE.
Por eso escribo en nuestra libreta,
porque es dónde supuestamente debemos
anotar los problemas que hemos tenido
y nuestras experiencias, para compartirlo
con el resto del club.
Creo que la Agencia Baby es el mayor problema
que jamás hayamos tenido, por eso pretendo
hacer un seguimiento de estas chicas en
esta libreta.

Tenemos que hacer algo lo antes posible.

—Emma

Capítulo 5

AL DÍA SIGUIENTE, CAMINAMOS JUNTAS DE VUELTA A CASA.

¡GLOBOS! ¿CÓMO NO SE NOS OCURRIÓ A **NOSOTRAS**?

VAYA DESASTRE.

SÍ, QUÉ MAL.

¿OS APETECE VENIR UN RATO A MI CASA?

TENGO QUE HACER UN TRABAJO PARA LA CLASE DE PINTURA.

YO TENGO QUE EMPEZAR A PREPARAR EL POSTRE PARA ACCIÓN DE GRACIAS.

YO ME QUEDO UN RATO, EMMA.

CLARO, **TÚ** LO QUE QUIERES ES VER A MI HERMANO SAM.

¿EH? LA PUERTA ESTÁ ABIERTA... QUÉ RARO.

ESPERO QUE MI HERMANO PEQUEÑO NO HAYA LLEGADO ANTES QUE YO... ¿DAVID MICHAEL?

43

44

45

47

SÓLO FALTARÁS TRES DÍAS AL COLEGIO... PASARÁS BASTANTE TIEMPO EN LA CLÍNICA, PERO PODREMOS APROVECHAR LAS TARDES Y TODO EL DOMINGO.

VAYA FASTIDIO.

PODREMOS HACER LAS COMPRAS PARA NAVIDAD, PASEAR POR LA CIUDAD PARA VER CÓMO LA HAN DECORADO ESTE AÑO...

Y...

... HE RESERVADO ENTRADAS PARA LA FUNCIÓN DEL DOMINGO DE DAVID COPPERFIELD.

¡DAVID COPPERFIELD! ¿EN SERIO? HACE SIGLOS QUE QUIERO IR A VERLO... GRACIAS, PAPÁ.

PIÉNSALO BIEN, INGRID. NAVIDAD EN NUEVA YORK. SIEMPRE TE HA ENCANTADO LA CIUDAD EN ESAS FECHAS.

SUPONGO QUE SÍ... Y QUÉ OPINA LA DOCTORA WERNER DE... ¿CÓMO SE LLAMA EL NUEVO MÉDICO?

DOCTOR BARNES.

¿QUÉ PIENSA LA DOCTORA WERNER DEL TAL DOCTOR BARNES?

... TODAVÍA NO LE HEMOS DICHO NADA DEL DOCTOR BARNES.

NO HAY NADA REALMENTE MALO CON NINGUNA DE ESAS COSAS, PERO SOY DE LA OPINIÓN QUE NO EXISTE UN PROGRAMA ESPECIAL QUE TE VAYA A CURAR LA DIABETES.

DOCTORA JOHANSSEN, POR FAVOR. NECESITO QUE ME AYUDE.

INGRID, ME ENCANTARÍA AYUDARTE, PERO CASI NO CONOZCO A TUS PADRES.

PERO ME CONOCE A MI, Y USTED ES DOCTORA.

SÍ, INGRID, PERO NO SOY TU DOCTORA.

POR FAVOR.

DEJA QUE PIENSE. NO PUEDO INTERVENIR DIRECTAMENTE, PERO... TE PROMETO QUE NO DEJARÉ QUE TE VAYAS A NUEVA YORK SIN HABER HECHO ALGO ANTES.

¿VALE?

NO PODÍA CREERME QUE ESTARÍA OTRA VEZ EN NUEVA YORK TAN PRONTO.

Capítulo 8

75

LUNES 8 DE DICIEMBRE

Hoy Emma, Ingrid y Lucy han llegado muy pronto a la

reunión del club. Estábamos muy nerviosas por saber

cómo les había ido a Janet y a Leslie en sus trabajos

del sábado.

A las cinco y media todavía no habían llegado y el

timbre no sonaba. Pasaron veinte minutos de la hora...

pero no aparecían. ¿dónde se habían metido? Emma

comenzó a preocuparse y pidió que alguna de nosotras

escribiera lo sucedido en nuestra libreta.

Algo no va bien.

x Claudia x

¿QUÉ? ¿Y POR QUÉ NO NOS LLAMÓ PARA AVISARNOS?

MUY SENCILLO, CHICAS. LESLIE NOS QUERÍA HACER QUEDAR MAL. LA SEÑORA KELLY SÓLO HA LLAMADO PARA ASEGURARSE DE QUE NOSOTRAS ESTÁBAMOS AL CORRIENTE... PERO TENGO EL PRESENTIMIENTO DE QUE NUNCA MÁS VOLVERÁ A LLAMARNOS.

¡RING!

HOLA, CLUB AMIGAS & CÍA. ¿SÍ?... OH, NO, NO ESTÁ HABLANDO **EN SERIO**, ¿VERDAD?

ES LA SEÑORA JAYDELL.

¿SEÑORA JAYDELL? ¿FUE O NO FUE JANET EL SÁBADO?

GRAB

NO, NO TENÍAMOS NI IDEA. SIENTO MUCHO QUE NO PUDIERA IR A LA FIESTA... SÍ... ENTIENDO.

¡CLIC!

¡AAAAHHHH!

Miércoles 10 de diciembre

Esta tarde he ido a cuidar de Jamie, porque
la señora Newton tenía que llevar a Lucy al
pediatra. Jamie estaba un poco raro.
Estaba deprimido, como si se hubiera peleado
con su mejor amigo. Me saludó entusiasmado
cuando llegué, pero en cuanto su madre salió
por la puerta con Lucy se le transformó la
cara...

Lucy

... TAMMY. Y BÁRBARA. Y UN CHICO.
JAMIE, SI NO TE GUSTAN ESTOS CHICOS DEBES DECÍRSELO A TU MAMÁ.
CUÉNTALE LO QUE ME HAS CONTADO A MÍ. Y ENSÉÑALE LA QUEMADURA DEL SOFÁ, ¿VALE?
VALE.
TENGO EL PRESENTIMIENTO DE QUE JAMIE SE OLVIDARÁ DE CONTARLE TODO A SU MADRE...
MIENTRAS TANTO...
¡RING!
¡HOLA, DOCTORA JOHANSSEN!
SÉ QUE ES UN POCO PRECIPITADO, PERO NECESITO QUE ALGUNA DE VOSOTRAS VENGA ESTA NOCHE. CHARLOTTE NO PARA DE PREGUNTAR POR TI.
¿EN SERIO? CLARO QUE PUEDO IR, CUENTE CONMIGO.

94

DURANTE LA CENA, HABLÉ CON MAMÁ Y PAPÁ SOBRE TODO LO OCURRIDO. SOBRE TODO, ME DIJERON QUE EN REALIDAD EL DOCTOR BARNES NO LES HABÍA GUSTADO.

DESPUÉS NOS ENCONTRAMOS CON LAINE Y SUS PADRES EN EL CINE.

LA SALA ESTÁ HASTA LOS TOPES... NOSOTROS NOS SENTAREMOS ALLÍ, Y LAINE Y INGRID PUEDEN SENTARSE EN ESOS DOS SITIOS DEL FONDO.

SALIDA

SALIDA

GRACIAS POR PREGUNTAR SI **YO** QUERÍA ALGO.

POP CORN

125

128

131

132

133

Dedico este libro a mi vieja compañera, Claudia Werner.

A. M. M.

Muchas gracias a Marion Vitus, Adam Girardet,
Duane Ballanger, Lisa Jonté, Arthur Levine, KC Witherall, y
Hope Larson. Y como siempre, a mi familia y
amigos, y muy especialmente a Dave.

R. T.

Título original: *The Baby-sitters Club: The Truth About Stacey*
Publicado con acuerdo con Scholastic Inc.
Este libro fue negociado a través de la agencia literaria
Ute Körner Literary Agent, S.L., Barcelona.
www.uklitag.com

Primera edición: septiembre 2007

Diseño: Kristina Alberston
Realización editorial: Bonalletra Alcompas, S.L.
Compaginación: Manuel Rodríguez

REF: MOSL073
ISBN: 978-84-7901-784-2
Depósito legal: B-36.581-2007
Impreso por Novagrafik (Barcelona)